HOGAN MAM, BABI JAM

HOGAN MAM, BABI JAM

Emily Huws

CYMDEITHAS LYFRAU CEREDIGION GYF

Cyhoeddwyd gan Gymdeithas Lyfrau Ceredigion Gyf.,
Blwch Post 21, Yr Hen Gwfaint, Ffordd Llanbadarn,
Aberystwyth, Ceredigion SY23 1EY.
Argraffiad cyntaf: Hydref 2007
Clawr meddal: ISBN 978-1-84512-063-4
Cefnogwyd y gyfrol gan Gyngor Llyfrau Cymru
Argraffwyd gan Wasg Gomer, Llandysul SA44 4JL

Aros

Mae'n *ofnadwy* bod yn llawn cyffro a gorfod aros yn llonydd.

Mae'n *ofnadwy* bod yn llawn cyffro a gorfod aros yn llonydd. Eisio neidio. Eisio dawnsio. Eisio gwingo-siglo. Eisio ysgwyd fel mewn disgo – am fod Mam yn dod yn ôl o America a phopeth yn mynd i fod yn iawn!

O'm cwmpas roedd pobl. Pobl, pobl a mwy o bobl. Yn gweu ac yn gwibio drwy'i gilydd. Yn mynd ac yn dod. I mewn ac allan o'r caffi lle roedden ni'n aros. At y cownter i brynu bwyd ac oddi yno'n cario diodydd gan sglaffio brechdanau a chacennau, creision a fferins. Syllais ar gan o Coke yn llaw rhywun oedd yn crwydro at y sgriniau a ddangosai amseroedd glanio ac yna'n cerdded i ffwrdd oddi wrthyn nhw, ac anfonais neges ato yn fy mhen:

'Deall yn iawn sut wyt ti'n teimlo 'was. Yr holl swigod yna'n ffrwtian yn ffrantig tu mewn i ti. Neb yn rhoi plwc ar y fodrwy ar dy ben di i'r ewyn gael ffrwydro allan!'

Roeddwn yn dyheu am weld Mam. Fyddai hi byth yn mynd i unman heb ddod ag anrheg yn ôl i mi a doedd hi erioed wedi bod i ffwrdd am dair wythnos o'r blaen. Amser hir, anrheg fawr. Dyna oeddwn i'n ei feddwl. Dillad oeddwn i eisio. Topiau fel roedd Mared Palmer oedd yn yr un dosbarth â fi erstalwm wedi'u cael o America. Lliwiau llachar. Blodau mawr prydferth. Patrymau trawiadol. Siapiau aur ac arian yn gyfrodedd hardd drostyn nhw. Dillad gwahanol i rai pawb arall.

Gawn i dop felly? Mwy nag un? Un gwahanol ar gyfer pob dydd o'r wythnos? Trowsus hefyd? Ffasiwn steil! Bagiau boliog! Papur sidan yn siffrwd! O! O! O! Roeddwn yn berwi o gyffro.

A dyma fi'n troi fy mhen – ac yn dychryn, yn codi fy llaw chwith at fy ngheg. Yn union gyferbyn â'm llygaid roedd twll crwn, du. Twnnel hir, tywyll. Gwn oedd o, ac wedi'i anelu'n syth ata i. A dyna'r cyffro'n troi'n ofn. Rhedodd iasau oerion i lawr fy nghefn. Llyncais fy mhoeri.

Yn sydyn, yn glir fel petai'n sefyll tu cefn imi, clywais lais Gethin, fy mrawd:

'Callia, Beca! Milwr ydi o, y babi jam! Yn gwarchod.
Nid ymosod.'

Dyna hurt oeddwn, yn dychmygu am funud fod
Gethin yno.

'Diolch eu bod nhw'n gwarchod pob mynedfa ac
allanfa, beth bynnag,' meddai Anti Angela yn ddifrifol.
'Yn ein cadw ni'n ddiogel rhag terfysgwyr.'

Nid modryb i mi oedd hi. Roedd hi'n fodryb go
iawn i'm hanner brawd a chwaer ond doedd hi'n
perthyn yr un dafn o waed i mi. Wedi cytuno i ddod
â fi i faes awyr Manceinion ar ôl i Mam anfon i ofyn i
rywun ddod â fi i'w chyfarfod oedd hi. Edrychais o'm
cwmpas yn ofnus. Roedd y lle yn llawn swyddogion
diogelwch a milwyr. Ond pwy oedd y lleill?

Terfysgwyr? Oedden nhw'n cuddio bomiau?
Ffrwydron? A beth am yr awyren roeddwn i'n ei
disgwyl-disgwyl-disgwyl? Yr awyren roedd Mam yn
dod yn ôl arni? Yr awyren oedd mor hwyr? Beth petai
hi wedi ffrwydro'n rhacs yn rhywle'n bell i fyny yn
yr awyr? Wedi chwalu'n sitrwns a phawb arni wedi
diflannu am byth?

Daeth yr ofn arall o gefn fy meddwl. Ofn beth

fyddai'n digwydd i mi pan fyddwn yn gadael y lle yma. I ble byddwn i'n mynd efo Mam? Pwy fyddai'n dod efo ni? Ble bydden ni'n byw? Dechreuais gnoi ewinedd fy llaw chwith. Er 'mod i'n gwneud ymdrech fawr i beidio gwneud hynny, fedrwn i yn fy myw beidio.

A beth oedd Geth yn ei wneud? Efo pwy oedd o? Geth, fy mrawd mawr, fel yr arferai ddweud. Ond dim ond blwyddyn yn hŷn na fi oedd o – un ar ddeg oed – ac roedd gen i fwy o hiraeth amdano fo nag am neb arall. Hiraeth ofnadwy.

'Wna i ddim ffraeo efo fo eto,' addewais i mi fy hun. 'Byth.'

Llanwodd fy llygaid â dagrau. Roeddwn i'n ei golli fo yn fwy nag roeddwn i wedi colli Mam hyd yn oed. Llyncais yn galed a throi fy mhen draw rhag i Anti Angela sylwi.

Clywais sŵn tramp-tramp-trampio traed trwm. Symudodd y milwr draw, a throdd y gwn i gyfeiriad arall. Cyrhaeddodd criw o bobl frysiog yn cario camerâu ac offer ffilmio ar eu hysgwyddau; yn chwifio meicroffonau, a gwifrau'n cordeddu fel nadroedd o'u cwmpas.

'Rhywun pwysig yn cyrraedd!' meddai Anti Angela. 'Seren bop neu bêl-droediwr enwog ella. Tybed fyddwn ni'n ei nabod?'

Eisteddodd i fyny'n gefnsyth. Hi oedd yn llawn cyffro erbyn hyn ac yn craffu i chwilio pwy oedd yno. Eisteddais innau'n hollol lonydd. Chymerais i ddim sylw o'r bobl. Doedd dim ots gen i pwy oedden nhw. Doedd ganddyn nhw ddim byd i'w wneud efo fi. Nid nhw oedd yn bwysig i mi.

Edrychais ar y cloc oedd yn uchel ar y wal. Roedden ni wedi bod yno ers hydoedd ac roedd fflyd yma a'u holl geriach yn fy rhwystro i rhag gweld allanfa'r teithwyr yn iawn.

'Symudwch o'r ffordd! Gwadnwch hi o'r golwg! Ewch i rywle arall!' sgrechiais yn fy mhen, yn ysu am gythru i'w canol nhw a'u hel oddi yno. Ond wnes i ddim. Dim ond eistedd ar fy llaw chwith rhag imi gnoi rhagor ar f'ewinedd a 'ngorfodi fy hun i rythu ar y rhes sgriniau uchel. Roedd y sgwennu arnyn nhw'n aneglur, yn fflicran ac yn ffurfio'n eiriau a rhifau wrth lonyddu am ychydig cyn symud i rowlio o'r golwg i wneud lle i ragor o rifau a phrint, y naill res ar ôl y llall. Llinellau o enwau lleoedd pell ac amseroedd cychwyn a glanio yn dawnsio i fyny ac i lawr o flaen fy llygaid dro ar ôl tro a minnau'n rhythu i fyny arnyn nhw nes roedd cric yn fy ngwddw.

Ciciais fy sodlau bob yn ail ar y bar ar waelod y stôl. Clec. Bang. Tolc. Clec. Bang. Tolc.

Edrych ac edrych ar y sgriniau. Gweld plant eraill drwy gil fy llygaid. Eu perthnasau nhw'n cyrraedd. Hwythau'n rhuthro atyn nhw i gael eu cofleidio. Wynebau teidiau a neiniau yn lledu fel haul mawr wrth eu gweld. Breichiau tad neu fam yn agor i'w sgubo oddi ar eu traed, eu coesau'n swingio cyn cau fel pryfed cop yn crafangio wrth gydio am eu gyddfau. Bron nad oeddwn i'n gweld cynhesrwydd y croeso fel blanced yn cau amdanyn nhw fel roedden nhw'n cerdded allan.

Bwm-bwm-bwm! Dechreuodd fy nghalon guro'n gyflymach-gyflymach-gyflymach . . .

Oedd fy mam i wedi fy ngholli'n ofnadwy? Oedd hi wedi bod yn hiraethu amdana i? Fyddai hi'n falch o 'ngweld i? Fyddai hi'n lapio'i breichiau amdanaf i fel yna? Oherwydd doedd Mam ddim yn hi'i hun o gwbl pan aeth hi i ffwrdd.

Cofiais beth roedd fy mrawd wedi'i ddweud.

'Dydi plant eraill ddim yn gorfod gwneud y pethau rydan ni'n eu gwneud.'

'Ydyn maen nhw,' dadleuais bryd hynny.

'Ddim yn gorfod gwneud eu bwyd eu hunain ran amlaf.'

'Nid ar Mam mae'r bai.'

'Gorfod golchi'n dillad yn amlach na pheidio hefyd.'

'Does gan Mam ddim help.'

'Dydi mamau eraill ddim yn disgwyl i'w plant wneud y pethau yna. Dydi o ddim yn deg.'

Cicio fy sodlau o hyd. Clec, bang, tolc, a'r sŵn yn newid yn fy mhen wrth imi feddwl:

Clec! Bang! Tolc! Pam? Beth? Sut?

Pam ydw i yn fan'ma?

Beth ddigwyddodd?

Sut cychwynnodd hyn i gyd?

Syllu o'r naill sgrin i'r llall. Ond nid nhw welwn i. Pob sgrin ar y wal yn troi'n sgrin yn fy mhen i. Sgrin nad oedd neb arall yno'n ei gweld . . .

Pob *sgrin* ar y wal yn troi'n *sgrin* yn fy mhen.

Roedden nhw'n *ffraeo* i lawr y grisiau. *Dad* a *Mam.*

1 ⏭️ Roedden nhw'n ffraeo i lawr y grisiau. Dad a Mam. Codai'r sŵn yn uwch ac yn uwch, a Tudno'n dweud, 'Dwisio mynd yn ôl. Dwi'm eisio aros yma am fod ofn arna i.'

Dydi Tudno ddim yn deall pethau, meddai Geth. Dydi o ddim yn wahanol i unrhyw dedi arall. Ond dwi'n nabod Tudno yn well na fo. Wn i'n iawn fod Tudno'n deall pob dim. Tedi glas ydi o. Glas fel yr awyr sy'n gwybod pob peth. Dad brynodd o i mi wedi imi swnian ei fod yn syllu i fyw fy llygaid i ac yn crefu arna i i'w achub o ffenest y siop am ei fod o wedi syrffedu yno.

'Fedri di ddim mynd yn ôl. Mae Llandudno'n rhy bell,' meddwn i wrtho fo. 'A beth bynnag, does dim rhaid iti ofni. Maen nhw'n ffraeo o hyd. Ti'n gwybod hynny'n iawn. Ti 'di bod yma'n ddigon hir.'

Ond roedd Tudno eisio imi gydio ynddo fo'n dynn. Swatiodd yn fy nghesail a dweud fod y ffraeo yma'n wahanol.

Ar ôl hynny doedd Dad ddim yn byw efo ni. Roedd o'n dod i'n gweld ni ac yn mynd â ni allan ac roedden ni'n mynd i'r fflat lle roedd o'n byw. Ond cyn bo hir roedd yn rhaid iddo fynd i ffwrdd i weithio. Wedyn dim ond cael cardiau ac anrhegion pen-blwydd a Nadolig oedd Geth a fi. Cedwais i'r ddau gerdyn pen-blwydd a'r ddau gerdyn Nadolig yn ofalus, ond lluchiodd Geth ei rai o yn syth i'r bin.

'Does gen i ddim byd i'w ddweud wrth Dad,' meddai'n flin. 'Dwi wedi gorffen efo fo.'

Colli Dad yn ofnadwy oedd o ond ei fod o ddim yn dweud. Roedd gen innau hiraeth am Dad hefyd, yn arbennig pan fyddwn i'n cofio fel y byddai'n cau un llygad ac yn rhoi winc fawr arna i. Arna i a neb arall. Winc arbennig i mi.

2 ▶▶| 'Nid chdi ddylai godi pan fydd
Ffred yn crio yn y nos,' cwynodd fy mrawd.

'Mam wedi blino gormod,' meddwn i.

'A Sid the Kid yn rhy ddiog. Fo ddylai fynd. Fo ydi
tad Ffred.'

Dyna oedd o'n galw partner newydd Mam. Am fod
Sid fel hogyn mawr eisio bod yn hogyn bach, meddai
fo. Gwaith Sid oedd mewnforio teganau o China a'u
gwerthu ar y we. Roedd yn rhaid iddo'u harchwilio
nhw er mwyn 'morol fod y safon a'r ansawdd yn dda,
meddai fo. Hel esgus, meddai Geth.

'Mae o'n ffeind. Rydan ni'n cael pethau ganddo fo o hyd.'

'Fel y fabi dol yna gest ti?' gofynnodd yn wawdlyd.
'Pethau da i ddim. A fo sy wedi gyrru Dad i ffwrdd.'

'Paid â malu awyr. Roedd Dad wedi mynd ers tro
cyn bod sôn am Sid.'

'Gorfod gwneud be mae o'n ddweud a Mam eisio'i
blesio fo drwy'r adeg.'

'Mae o'n gwneud Mam yn hapus ac mae hi'n poeni
dy fod ti mor annifyr efo fo.'

'Hogan Mam!' gwawdiodd Geth. 'Mae teganau'n

iawn os nad wyt ti'n gwybod sut maen nhw'n cael eu gwneud, y babi jam!'

'Be wyt ti'n feddwl?'

'Ti'n rhy dwp i ddeall!'

Doeddwn i ddim am ddioddef rhagor. Neidiais i'w rwystro rhag dianc o'r ystafell a dechrau ei golbio ar ei gefn. Roedd o'n gryfach na fi. Pan fydden ni'n cwffio, fo fyddai'n ennill fel arfer. Ond y tro yma doedd o ddim yn barod amdana i a llwyddais i roi tro ar ei fraich a'i wthio i gornel ar y soffa a'i ddal i lawr yno.

'Pam wyt ti'n ei gasáu o cymaint?' holais.

'Mae plant yn dioddef wrth wneud y teganau yna mewn ffatrïoedd afiach yn China.'

Syrthiodd fy ngheg ar agor yn syn.

'Cau dy geg cyn i ti lyncu pry,' meddai'n gas.

Rhoddais dro ar ei fraich.

'Plant tua'r un oed â ni yn gorfod byw mewn ystafelloedd bychan, cyfyng, tywyll, tamp. Dau a thri mewn gwely sengl weithiau. Gweithio shifftiau sy'n para mwy na phymtheg awr, saith diwrnod yr wythnos.'

'Paid â malu awyr,' meddwn i.

'Dwi'n dweud y gwir. Mae plant tlawd yn gweithio

am y nesaf peth i ddim mewn ffatrïoedd mawr a rhai yn marw am eu bod nhw'n gorfod rhedeg yn ôl ac ymlaen rhwng gweithwyr, yn cario teganau i wneud y cam nesaf yn y cynhyrchu.'

Stopiodd i gael ei wynt. Roedd o gymaint o ddifri roedd yn rhaid i mi wrando.

'A'r fabi dol yna gest ti ganddo fo . . .'

'Chwarae teg, ddim yn sylweddoli 'mod i'n rhy hen i chwarae efo hi oedd o.'

'A dwyt tithau ddim yn sylweddoli mai genethod tua dy oed di sy'n peintio'u llygaid nhw. Yn gorfod gwneud miloedd mewn diwrnod efo paent drewllyd sy'n glynu'n greulon ar eu dwylo nhw a'r ogla afiach yn gwneud iddyn nhw lewygu.'

'Sut gwyddost ti?' sibrydais, wedi dychryn.

'Gwglian.'

'Ella . . .' meddwn i'n betrus. 'Ella nad ydi Sid ddim yn gwybod.'

'Ddwedais i wrtho fo. Wyddost ti beth ddwedodd y llo?'

Ysgydwais fy mhen.

'Ei fod o'n gwybod fod pawb yn cael mwgwd i'w hamddiffyn rhag yr ogla a menig rhag i'r paent fynd ar eu croen. Roedd o'n gwrthod credu eu bod nhw'n dda i ddim am eu bod yn hen bethau mor wael.'

'Ddim yn meddwl mae o, debyg.'

'*Ddylai'r* lembo feddwl,' mynnodd fy mrawd.

3

▶▶ Griais i pan oedden nhw'n ffarwelio â ni yn yr ysgol am fod yn rhaid i ni fudo.

'Golla i'r sioe ffasiynau i godi arian at elusennau,' meddwn i. 'Dwi wedi cael fy newis yn fodel a fydda i ddim yno.'

Roeddwn wedi edrych ymlaen cymaint at gael gwisgo'r dillad, a Mam wedi addo'r arian i brynu rhywbeth roeddwn i wedi'i ddangos am fod y modelau i gyd yn cael cynnig prynu un dilledyn am bris gostyngol.

'Gawn ni aros tan ar ôl y sioe?' crefais. Ond roedd yn rhaid inni fynd ar unwaith gan fod pobl eraill eisio symud i mewn i'n tŷ ni. Roedden ni'n mynd i dŷ mwy er mwyn cael lle ar gyfer swyddfa i Sid.

'Ac er mwyn i Sid the Kid gael arian i'w fuddsoddi yn y busnes teganau,' meddai Geth. 'Mam yn mynd i dderbyn archebion ar y cyfrifiadur ac yntau'n teithio i weld cwsmeriaid. Gorfod gwneud be mae *fo* eisio.'

'Gei di dy ddal yn clustfeinio tu cefn i ddrysau ryw ddiwrnod,' rhybuddiais.

''R unig ffordd i gael gwybod be sy'n digwydd.'

'Mae angen rhagor o le i Ffred gael chwarae efo teganau mawr hefyd.'

'Hwnnw'n ddigon o niwsans. Yn swnllyd ac yn ddrewllyd hefyd.'

Giciais i o am fod mor annifyr ynghylch Ffred. Cicio a cheisio brathu ac yntau'n tynnu fy ngwallt. Dydi cael gwallt hir ddim yn syniad da pan fydd gynnoch chi frawd.

4

▶▶   Tŷ Fry. Yn bell o bob man. Y lle pellaf ar ôl mynd ar hyd ffordd gul dolciog am hir wedi troi oddi ar y ffordd fawr lle roedd y pentref. Dim tai eraill yn agos. Sŵn afon yn rhywle draw ynghanol coed. Roedd yn gas gen i glywed y gwynt yn cwyno ac yn ochneidio yn y brigau, a'r tylluanod yn gwatwar ei gilydd yn oer am hydoedd yng ngolau'r lleuad. Y stlumod oedd waethaf, yn gwibio i mewn drwy'r ffenestri pan fyddai hi ar dywyllu. Roedd arna i gymaint *gymaint* o ofn iddyn nhw fynd yn sownd yn fy ngwallt. Ych a fi! *Ych-ych-ych a fi!*

'Pen draw'r byd,' cwynodd Geth. 'Fel petai pawb arall wedi marw.'

'Pam mae'n rhaid inni fyw yma?' gofynnais yn flin. 'Fedrwn ni ddim mynd i unrhyw beth ar ôl 'rysgol.'

'Y lle rhataf oedd ar gael. Arian yn brin am fod Sid the Kid yn gwario ar gyfrifiaduron aballu ar gyfer y busnes,' meddai Geth, wedi bod yn clustfeinio tu cefn i ddrysau, wrth gwrs.

Roedden ni'n cael tacsi i fynd i'r ysgol am ein bod ni mor bell o'r pentref; ni a Robin o fferm Glanrafon. Doedd dim plant eraill yn byw yn ymyl ac roedd Robin wrth ei fodd yn cael cwmni Geth. Dim ond weithiau y byddwn i'n cael mynd efo nhw i chwarae gan fod yn rhaid i mi warchod Ffred. Y munud roeddwn i'n

dod o'r ysgol byddai Mam yn dechrau gweithio ar y
cyfrifiadur. Ond roedd pethau'n iawn nes bod Mam yn
disgwyl babi arall.

5 ▶▶| Roedd hi'n sâl bob bore.

'Fydd hyn ddim yn para'n hir,' meddai hi. 'Mi fydda
i'n well fel mae'r amser yn mynd ymlaen.'

Ond doedd hi ddim, a fi oedd yn gwneud popeth
roedd angen ei wneud i Ffred cyn mynd i'r ysgol.
Edrychai Mam yn llwyd ac yn llipa ac roedd hi'n
flinedig drwy'r amser, yn dyheu am imi ddod adref yn y
pnawn i ofalu am Ffred.

Ganwyd y babi gartref. Ffoniodd Sid y munud y
sylweddolodd Mam fod yr amser wedi dod, ond erbyn
i'r ambiwlans ddod o hyd i'n tŷ ni ym mhen draw'r lôn
gul filltiroedd o bobman, roedd Aila wedi cyrraedd.

Wedi bod ar goll oedd y dynion ambiwlans, medden
nhw. Y bobl roedden nhw wedi'u holi yn newydd-
ddyfodiaid a ddim yn gwybod ble roedd Tŷ Fry.

Rhywun arall wedi dweud mai tŷ haf oedd Tŷ Fry. Neb yn byw yn y fath le unwaith roedd y tymor ymwelwyr ar ben, medden nhw. Gwrthododd Mam fynd i'r ysbyty. Dim pwynt a phopeth drosodd, meddai hi.

'Mae'r babi'n swnio'n iach iawn, beth bynnag,' medden nhw wrth glywed Aila'n sgrechian. 'Ond anfonwn ni fydwraig atoch chi i ofalu fod popeth yn iawn.'

Doedd Mam ddim yn gwrando. Caeodd ei llygaid yn flinedig. Roedd hi'n dal i gysgu pan gyrhaeddodd y fydwraig, ac erbyn hynny roeddwn i wedi helpu Sid i molchi Aila ac roedd hithau'n cysgu hefyd.

'Popeth mewn trefn,' meddai Sid.

'Efo babi newydd ei eni a phlentyn arall mor ifanc,' meddai'r ddynes gan edrych ar Ffred yn rhedeg rownd y gegin wedi iddo ddianc o'm gafael wrth i mi dynnu ei glwt budr, 'mi fydd arnoch chi angen help.'

'Mae popeth yn iawn,' meddai Sid yn glên i gyd. 'Dwi'n gweithio gartref y rhan fwyaf o'r amser. Byddwn ni'n iawn. Yn berffaith iawn.'

Roedden ni hefyd. Am dipyn. Nes roedd yn rhaid i Sid fynd i ffwrdd yn amlach, ac wedyn roeddwn i'n dal i godi at Ffred gefn nos a Mam yn codi at Aila.

Ond fi fyddai'n ei molchi hi a'i newid hi yn y bore ac yn rhoi bwyd i'r ddau cyn mynd i'r ysgol a Mam yn dal i gysgu. Bob pnawn pan oedden ni'n cyrraedd adref, byddai Mam yn dal yn ei chôt nos ac yn eistedd wrth y cyfrifiadur, Ffred yn crefu am sylw ac Aila'n crio angen ei bwydo a'i newid.

Fi fyddai'n gwneud. Roedd sŵn yr hewian a'r crio yn hollti pen Mam, meddai hi.

6

▶▶| 'Bîb-bîb! Biiiiiiiiib!' Clywn y gyrrwr tacsi yn canu'r corn yn ddiamynedd. Roedden ni'n hwyr. Eto. A'r gyrrwr wedi'n rhybuddio na fyddai'n aros amdanon ni eto.

'Plant eraill i'w nôl,' eglurodd. 'Dydi o ddim yn deg â nhw. Gorfod aros am hydoedd a bod yn hwyr i'r ysgol o'ch herwydd chi.'

'Brysia, Beca!' sgrechiodd Geth gan ddal drws y car ar agor.

Cythrais i'm bag ysgol. Cipiais ddarn o dôst oddi ar fy mhlât a gweiddi, 'Dwi'n mynd, Mam!'

Doedd Ffred ddim eisio i mi fynd. Ysgydwais fy nghoes yn rhydd o'i afael.

'B-i-i-i-b!' canodd y corn wedyn.

Dechreuodd Aila sgrechian yn y cot. Edrychais dros f'ysgwydd yn bryderus. Fyddai Mam yn codi cyn iddi sgrechian ei hun yn sâl? Fedrwn i ddim gadael . . . Ond dyna Mam yn dod i lawr y grisiau yn ei choban. Sws i Aila. Sws i Ffred. Sws i Mam ond sylwodd hi ddim. Rhedeg allan a neidio i'r tacsi fel roedd yr injan yn chwyddo chwyrnu.

'Ddrwg gynnon ni fod yn hwyr,' meddai Geth.

'Diolch yn fawr am aros,' meddwn i gan fwyta fy nhôst ar yr un pryd.

Ddywedodd y gyrrwr ddim byd ond gwelais o'n ysgwyd ei ben.

7 ▶▶| Canodd cloch amser chwarae a galwodd Mrs Walters arna i fel roeddwn yn mynd allan.

'Gawn ni air bach, Beca?' gofynnodd. Nodiodd

i gyfeiriad drws yr ystafell fach lle roedd llyfrgell blynyddoedd 5 a 6. Suddodd fy nghalon pan welais fod fy llyfr gwaith cartref yn ei llaw, yn falch nad oedd y plant eraill yn clywed.

Doedd hi ddim yn gas. A dweud y gwir roedd hi'n glên iawn. Ond swniai mor siomedig fod cymaint o olwg ar fy ngwaith i. Gwnaeth i mi deimlo'n euog.

'Fy mrawd bach i,' ceisiais egluro. 'Nid arno fo oedd y bai chwaith. Fi adawodd fy llyfr ar y bwrdd tra oeddwn i'n bwydo fy chwaer ar hanner gwneud fy ngwaith. Taflodd Ffred ei fwyd drosto. Dim ond blwydd a hanner ydi o. Dydi o ddim yn gwybod be mae o'n neud . . .'

Tewais. Edrychais ar Mrs Walters gan gnoi ewinedd fy llaw chwith, fy nghalon yn curo, curo. Ddywedodd hi ddim byd am funud. Edrychai fel petai'n meddwl.

'Mae pethau'n amlwg yn anodd iti gartre,' meddai o'r diwedd. 'Efo dau o blant bach a phopeth.'

Gwridais, yn gwybod ei bod hi'n cofio beth oedd wedi digwydd yr wythnos gynt: doeddwn i ddim wedi medru mynd â fy llyfr llyfrgell yn ôl fore dydd Llun.

'Be wna i?' criais efo Geth ar y nos Sul.

'Dweud y gwir,' meddai hwnnw. 'Be arall fedri di ei wneud? Dwyt ti ddim haws â dweud dy fod ti wedi ei golli o. Wnaiff d'athrawes di ddim byd ond gofyn amdano'n ôl bob bore dydd Llun.'

A dyna fu'n rhaid i mi ei wneud.

'Lluchiodd Mam o i'r bin,' cyfaddefais. 'Nid arni hi oedd y bai. Fi oedd wedi ei adael o yng nghanol hen bapurau.'

'Fydd raid iti dalu amdano fo,' meddai un o'r plant yn sbeit i gyd.

'Wna i,' meddwn i. 'Ddo i â'r pres fory.'

Wnes i hefyd. Gaeodd hynny eu hen gegau nhw.

'Diolch, Beca,' meddai Mrs Walters y bore hwnnw. 'Ond damwain ydi damwain. Fuost ti'n onest iawn yn dweud y gwir ar d'union.'

Rhoddodd yr arian yn ôl i mi.

'Dydi hynna ddim yn deg,' cwynodd Lucy Kelly, sy'n medru bod yn hen bupran fach annifyr weithiau.

Edrychodd Mrs Walters yn filain i'w chyfeiriad hi.

'Bu Beca'n ddewr iawn yn cyfaddef beth oedd wedi digwydd,' meddai hi. 'Ac nid arni hi oedd y bai. Dydi hi ddim yn arfer colli llyfrau . . . yn wahanol i rai fedra i eu henwi. A dydi o'n ddim o fusnes neb arall beth bynnag,' gorffennodd, gan roi taw ar geg pawb.

Teimlwn ychydig bach yn euog am iddi fod mor glên. Doeddwn i ddim wedi dweud y gwir i gyd wrthi. Nid ar ddamwain y lluchiodd Mam y llyfr. Gwylltio wnaeth hi am 'mod i wrthi'n ei ddarllen ac Aila'n crio eisio ei bwydo a hithau wrth y cyfrifiadur. Cipiodd y llyfr o'm llaw a'i luchio i'r bin.

Roedd yn ddrwg ganddi ei bod wedi gwneud. Cydiodd ynof yn dynn.

'Wn i ddim beth ddaeth drosof i,' meddai gan grio'n ofnadwy a rhwbio'i llygaid â llawes ei chôt nos.

Roeddwn i'n poeni mai dyna fyddai hi'n ei wisgo drwy'r dydd. Doedd ganddi ddim amynedd i wisgo amdani'n iawn, meddai hi. Geisiais i achub y llyfr yn ddiweddarach, ond roedd hi'n rhy hwyr. Roedd bagiau te a phob math o slwj ar ei ben.

Arhosais ar ôl i ofalu mai fi fyddai'r olaf i fynd allan amser chwarae. Cymerais arnaf 'mod i'n chwilio am rywbeth yn fy mocs nes roedd pawb wedi mynd, ac wedyn es i draw at Mrs Walters am 'mod i eisio diolch iddi. Ond roeddwn i'n methu'n glir â chael hyd i'r geiriau iawn. Felly dywedais y gwir. 'Doedd gan Mam ddim help,' meddwn i'n gloff o'r diwedd. 'Doedd hi ddim yn trio.'

'Iawn, Beca,' gwenodd Mrs Walters. 'Paid â phoeni. Ond mae 'na un peth . . .'

Dywedodd ei bod hi wedi sylwi 'mod i'n cyrraedd yr ysgol weithiau heb gael cyfle i wneud fy ngwallt na golchi fy nwylo.

'Wedi gorfod rhuthro i ddal y tacsi, debyg,' meddai.

'Ffred yn pryfocio, yn rhedeg o gwmpas ac yn gwrthod gadael i mi wisgo amdano fo,' meddwn yn gloff. 'Aila yn ara deg yn sugno'i photel . . .'

'Maen nhw'n lwcus iawn fod ganddyn nhw chwaer fawr i ofalu amdanyn nhw,' meddai hi.

'Mae Mam yn gweithio hyd oriau mân y bore,' eglurais. 'Ac wedi blino o hyd.'

'Fel yna mae mamau efo plant bychan yn aml, 'sti. Yr hyn roeddwn i am ei ddweud, Beca,' meddai hi, 'oedd nad oes eisio rhoi lle i blant eraill bwyntio bys. Ti'n gwybod sut mae rhai o'r genod yna . . .'

Criw Shelley Paige ac Amelia Tasker-Watkins roedd hi'n ei feddwl. Doedden nhw ddim yn meiddio pigo arna i am fod ofn Geth arnyn nhw. Er ei fod o'n fy ngalw i'n fabi jam gartref, doedd wiw i neb edrych yn gam arna i yn yr ysgol. Ond roeddwn i'n gofalu cadw'n glir oddi wrthyn nhw er mwyn osgoi helynt.

'Felly, os nad wyt ti'n cael cyfle gartre,' meddai hi, 'dos i'r toiledau i molchi cyn i'r gloch ganu. Ddangosa iti lle bydd yna sebon a lliain. Ofala i y bydd yno frws a chrib. Mae gen ti wallt digon o ryfeddod ond mae'n anodd cael digon o amser i drin y cyrls hir yna. Fydd gan neb ddim i'w ddweud wedyn.'

'Diolch, Mrs Walters,' meddwn i'n iawn y tro hwn.

⏭ Roedd Geth yn benderfynol ein bod ni'n dau yn cael mynd ar y trip ysgol i Alton Towers.

'Mae gynnon ni hawl i gael mynd,' meddai fo wrth Mam. 'Dydan ni byth yn cael mynd i unlle rŵan.'

Ddywedodd hi ddim byd ond rhoddodd arian inni dalu am y trip.

Roedd y bws yn cychwyn o'r ysgol am saith o'r gloch

y bore – yn rhy gynnar i'r tacsi. Doedd gan Mam ddim
car i'n danfon gan fod Sid yn gweithio i ffwrdd, felly
gosododd y ddau ohonom glociau larwm i'n deffro am
chwech o'r gloch. Neidiais o'r gwely i ddiffodd f'un i
rhag ofn i'r ddau fach ddeffro.

'Well i mi edrych ydyn nhw'n iawn,' meddwn yn
ddistaw. Ond rhwystrodd Geth fi rhag inni fod yn
hwyr. Lwc iddo wneud a'n bod ni wedi rhedeg bron yr
holl ffordd. Pan welson ni fod gan bawb arall becyn
bwyd wedi'i baratoi iddyn nhw, llwyddon ni i i sleifio i'r
siop i brynu brechdanau a diod i fynd efo ni.

Dyna'r diwrnod gorau a gafodd Geth a fi erioed. Yr
hwyl a'r canu ar y bws, y sbort a'r sbri yn Alton Towers,
y bwyta tships ac yfed Coke ar y ffordd adref. Diwrnod
gwych. Ond pan oedden ni o fewn rhyw ddeng milltir
i'r ysgol, meddai Mrs Walters, 'Yr hynaf yn y teulu i
ffonio er mwyn i'ch rhieni ddod i'ch cyfarfod.'

'Ty'd reit handi,' meddai Geth dan ei ddannedd pan
gyrhaeddon ni, y ddau ohonom yn gwybod na fyddai
neb yn ein cyfarfod ni.

Ddylai popeth fod wedi bod yn iawn. Roedd
hi'n hwyr ac yn llwyd-dywyll a digon o gysgodion o

amgylch. Ond fel roedden ni'n brysio heibio cefn y bws galwodd Mrs Walters a'i rhestr yn ei llaw:

'Neb i adael heb i mi eich gweld efo'ch rhieni.'

Doedd gynnon ni ddim gobaith wedyn. Yn fuan iawn dim ond ni'n dau oedd ar ôl. Mynnodd Mrs Walters fynd â ni adref yn ei char. Fyddai hi byth yn medru cysgu petai'n gadael inni gerdded yr holl ffordd adref hefyd, meddai hi, gan roi ar ddeall inni ei bod yn gwybod nad oedd neb wedi ein danfon ben bore.

Rhedodd Ffred i'n cyfarfod y munud yr aethon ni i'r tŷ, gan gydio yn fy mag a chwilio am yr anrheg roeddwn i wedi'i haddo iddo. Daeth Mrs Walters i mewn efo ni a chlywais Aila'n crio yn ei gwely.

'Dos ati hi, Becs,' meddai Mam, gan brin godi'i phen o'r cyfrifiadur.

'Beca ydi fy mraich dde i,' meddai wrth Mrs Walters fel roeddwn i'n mynd i fyny'r grisiau. 'Wn i ddim be wnawn i hebddi.'

Erbyn i mi ddod yn ôl roedd Mrs Walters wedi mynd ac roedd gan Geth gywilydd meddai fo nad oedd Mam ddim hyd yn oed wedi diolch iddi am ddod â ni adref. Ond roedd o wedi gwneud.

'Wna i gerdyn bach i ddiolch iddi,' meddwn i. Ond roeddwn i wedi blino gormod y noson honno a ches i ddim cyfle wedyn.

 ▸▸ı 'Oes *rhaid* iti fynd, Mam?' gofynnais.

Fel arfer byddai hi o flaen y cyfrifiadur pan gyrhaeddai Geth a fi o'r ysgol.

'Gwnewch eich te eich hunain,' fyddai'n ei ddweud heb droi ei phen, ei bysedd yn chwipio-pigo ar yr allweddell.

'Wedyn gewch chi warchod Ffred ac Aila,' ychwanegai, ei llygaid wedi eu hoelio ar y sgrin a minnau'n cwyno,

'Dydi o ddim yn deg fod Geth byth yn helpu.'

'Arnat ti mae'r bai am fodloni bod yn gaethferch,' meddai Geth gan ddiflannu fel cysgod cyn i Mam sylwi arno. 'Gad lonydd iddyn nhw.'

Fedrwn i ddim gadael llonydd iddyn nhw. Beth petai Ffred yn brifo? Beth petai Aila'n ei gwneud ei hun yn sâl wrth sgrechian? Roedd gen i feddwl y byd o'r ddau ac roeddwn i eisio helpu Mam. Dim ond 'mod i'n syrffedu gwneud o hyd ac o hyd. Ond heddiw roedd Mam yn mynd i mewn i'r tacsi oedd wedi dod â fi o'r ysgol. Daliai ei ffôn wrth ei chlust.

'Awr?' meddai hi. 'Fyddi di'n ôl o fewn yr awr, Sid? Ti'n berffaith siŵr?'

Gwthiodd gês i mewn i'r tacsi.

'Gwna botel i Aila,' meddai wrthyf i. 'Rho fwyd Ffred iddo. Fydd Sid ddim yn hir. Gewch chi'ch dau warchod nes daw o.

'Ni'n dau wir!' cwynais. 'Mae Geth wedi mynd i chwarae efo Robin.'

Yna sylwais fod ganddi ddau gês. Un bach, ac un mawr ar olwynion. Dechreuodd cloch fechan fach dincian yn ddistaw yn rhywle yng nghefn fy meddwl. Roedd Ffred yn crafangio o gwmpas fy nghoesau, ei freichiau'n gafael amdanaf a'i ddwylo'n cydio yn fy nillad.

'Pryd wyt ti'n dod 'nôl?' gofynnais, gan godi Ffred ar fy mraich. 'I ble rwyt ti'n mynd?'

Atebodd hi ddim. Chwyddodd sŵn y gloch.

'Mam?' meddwn i.

A dyna hi'n gwthio'r cês mawr i mewn i'r car, yn troi, yn fy nghofleidio'n frysiog, ac yn rhoi sws i mi.

'Mae'n rhaid imi fynd,' meddai. 'Does gen i ddim dewis. Edrych ar ôl y ddau fach imi, Beca. Chdi ydi fy hogan i, cofia.'

A dyna Aila'n dechrau crio yn y tŷ. Roedd hi newydd ddeffro. Brathodd Mam ei gwefus. Tynnodd ei llaw dros ben Ffred. Cefais gip ar ddagrau'n sgleinio yn ei llygaid.

'Paid â mynd, Mam!' crefais gan gydio ynddi. 'O, paid â mynd!'

'Dwed wrth Sid fod llythyr iddo yn y cyfrifiadur,' meddai hi. 'Eglurith o bopeth i chi'ch dau.'

Gwthiodd fi draw. Clep! Caeodd ddrws y tacsi heb droi ei phen i edrych arnon ni. Chwyrnodd yr injan. Trodd y car rownd. Aeth i lawr y ffordd dolciog a diflannu o amgylch y tro. Syllais ar y ffordd wag.

Ddywedais i ddim mai fi oedd ei hogan hi, meddyliais, a gwnaeth hynny i mi ddechrau crio. Yna sychais fy nagrau â chefn fy llaw. Roedd yn rhaid i mi fynd at Aila. Fi oedd ei chwaer fawr hi ac roedd arni hi a Ffred f'angen i. Codais Ffred i'w gadair uchel a rhoi ei de iddo. Chwarddodd Aila a chwifio'i dwylo bach fel pysgod sêr pan welodd fi, a gwnaeth hynny imi deimlo'n gynnes braf yn sydyn. Teimlwn yn well. Codais hi ar fy mraich, ac wedi newid ei chlwt gwnes botel o ddiod iddi. Swatiodd yn fy nghesail gan sugno'r deth yn farus. Eisteddais yno'n meddwl.

Doedd Mam ddim wedi bod 'run fath ers pan oedden ni'n byw yma. Sid yn egluro i ni'n dau? Doedd hi ddim yn sylweddoli cymaint roedd Geth yn ei gasáu.

Cyrhaeddodd Geth adref, dechrau chwilota am rywbeth i'w fwyta, ac i ffwrdd ag o i'w lofft. Hanner ffordd i fyny'r grisiau, stopiodd.

'O!' meddai, gan edrych ar y cyfrifiadur a sylwi nad oedd Mam yno. 'Lle mae hi?'

Codais f'ysgwyddau. 'Wedi mynd i'r dref. Ella.'

'Be ti'n feddwl, *ella*?'

'Roedd ganddi gês trwm.'

Yn araf, daeth Geth yn ôl i lawr y grisiau.

'Sid the Kid?'

'Ar ei ffordd adref.'

'Dad?' gofynnodd Ffred, gan swnian am gael dod o'i gadair. 'Dad?'

'Ddaw o'n munud,' meddwn i.

Ond ddaeth o ddim. Doedd dim golwg ohono
pan ddaeth yn amser i Aila fynd i'w gwely, a blinodd
Ffred wylio am y car yn dod ar hyd y ffordd. Roedd o'n
pendwmpian yn swrth o flaen y teledu ar ôl cael bwyd.
Cariais o i'w wely heb iddo sylwi. Yn hwyrach aeth
Geth a fi i'n gwelyau hefyd.

Doedd Sid ddim yno'r bore wedyn chwaith. Erbyn
hyn roeddwn i'n poeni. Roedd Geth hefyd yn poeni
ond doedd o ddim yn cyfaddef.

'Pam na wnest ti rwystro Mam rhag mynd?'
meddai'n ffyrnig. 'Ddylet ti fod wedi'i stopio hi!'

'Wnes i 'ngorau. Grefais i arni i beidio mynd.'

'Ddylet ti fod wedi trio'n galetach.'

'FI?' gwaeddais. '*Fi*? Beth amdanat ti? Tasat ti wedi
dod adref ella basat ti wedi medru gwneud.'

'Fasa hi ddim wedi gwrando arna i,' meddai, gan
swnio'n ddigalon. 'Doedd gen i ddim gobaith os oeddet
ti wedi methu. Chdi ydi hogan Mam.'

Doedd o ddim yn ei ddweud yn sbeitlyd. A ddaru o
ddim fy ngalw i'n fabi jam a ddywedais i ddim byd.

Cyrhaeddodd Sid adref fel roedd hi'n tywyllu. Yn

y cyfamser, tra oedd Geth wedi mynd i lawr i siop y pentref ar ei feic am fod yn rhaid cael Pampers i Aila, roedd yr ymwelydd iechyd wedi galw. Y peth cyntaf ofynnodd hi oedd ble roedd ein rhieni ni.

'Mae Mam wedi mynd i'w gwely am ryw awr,' atebais fel fflach. 'Am ei bod hi wedi bod ar ei thraed efo Aila yn y nos.'

Lwc ein bod ni'n chwarae allan ar y pryd. Cymerais arnaf nad oeddwn am i neb fynd i'r tŷ rhag ei deffro hi. Smaliais na chlywais y ddynes yn gofyn ble roedd partner Mam, yn falch fod Ffred yn hawlio fy sylw.

Edrychodd Sid yn hurt pan sylweddolodd nad oedd Mam gartref. Eisteddodd a syllu ar y sgrin am hir iawn wedi imi roi'r neges iddo. Yn araf, fel petai mewn breuddwyd, diffoddodd y cyfrifiadur. Daliai i syllu ar y sgrin wag fel pe na bai'n ymwybodol fod yr un ohonom yno, ac ni sylwodd ar Ffred yn rhedeg o gwmpas gan smalio bod yn drên a sgrechian pwffian.

'Oeddech chi'n gwybod?' gofynnodd yn syn o'r diwedd. 'Oeddech chi'ch dau'n gwybod ei bod hi'n mynd i Pittsburg?'

'Pittsburg, *America*?' gofynnais.

'Pittsburg, Pennsylvania, America?' gofynnodd Geth, yn gwneud imi ysu i roi peltan iddo am ei ddangos ei hun.

Nodiodd Sid.

Ysgydwodd y ddau ohonom ein pennau.

'Wnaeth hi sôn ei bod hi wedi cyfarfod rhywun?'

Chwarae teg, roedd yn rhaid imi gyfaddef fod Geth fwy o gwmpas ei bethau na fi. Deallodd ar ei union.

'Ar y we?' gofynnodd. 'Cariad newydd?'

'Mewn stafell sgwrsio.'

'Dyna pam roedd hi wrthi efo'r cyfrifiadur mor aml. Nid gweithio efo'r busnes teganau oedd hi drwy'r adeg. Wedi cyfarfod rhywun oedd hi.'

'Mae'n rhaid,' meddai Sid yn feddylgar. 'Ond soniodd hi'r un gair. Wyddwn i ddim be roedd hi'n ei wneud.'

O'r diwedd roeddwn yn deall.

'Ydi hi wedi mynd am . . . am byth?' gofynnais yn grynedig.

'Rhyw dair wythnos,' meddai Sid, gan ymdrechu i geisio gwenu. 'Cyfnod i weld sut mae'n hoffi bod efo fo yn America, meddai hi.'

Chwarae teg i Geth am fod mor ddewr a gofyn.

Gofynnodd yn araf, 'Ydi hi . . . ydi hi . . . ydi hi'n dod yn ôl?'

Cododd Sid ei ysgwyddau.

'Ella . . .' gofynnais innau, yn betrus iawn. 'Ella y byddwn ni'n mynd ati i America?'

Ddywedodd neb ddim byd.

10 ▶▶| Ymhen deuddydd daeth e-bost i ddweud fod Mam wedi cyrraedd. Meddai Sid wedi syllu'n hir ar y sgrin,

'Dechreuwch hel eich pethau at ei gilydd.'

'Fedrwn ni ddim mynd o'ma,' meddai Geth yn syth.

'Fedra innau ddim gofalu am Ffred ac Aila yn fan'ma.'

'Ond rydw i'n helpu,' meddwn i.

'Wyt. Ond dwyt ti ddim yma drwy'r adeg. Fedra i ddim gofalu amdanyn nhw a gweithio. Mae'n rhaid imi fynd â nhw at fy mam.'

'Ond beth am ein mam ni?' gofynnais.

'Mae tair wythnos yn amser hir. Be arall wna i?'

'Fedrwn ni ddim mynd o'ma,' meddai Geth wedyn.

Cael andros o hwyl ar y fferm efo Robin oedd o. Dyna pam nad oedd o eisio mynd.

'Fydd Mam ddim yn gwybod ble rydan ni pan ddaw hi'n ôl,' meddwn i.

'Yrra i'r cyfeiriad ati hi, siŵr iawn.'

'Ond . . .' meddai Geth a fi efo'n gilydd.

'Oes gynnoch chi'ch dau well syniad?' gofynnodd Sid.

Doedd gynnon ni ddim, wrth gwrs.

Bu fy mrawd yn gyfrwys iawn. Ddywedodd o ddim byd. Chymerodd o ddim arno ei fod yn gwrthwynebu o gwbl. Yna pan oedd bron popeth yn y car, Sid wedi mynd i'r tŷ i nôl y pethau olaf ar ôl rhoi Ffred yn ei sedd, a finnau'n rhoi Aila yn ei sedd hi, sibrydodd Geth wrth fy mhenelin, 'Dwi'n aros yma, Becs. Dwi ddim yn mynd efo *fo*. Dydi ei fam o ddim yn nain i ni. Fydd hi ddim eisio ni. Ddaw neb arall i fyw yma tan yr haf. Mi fydda i'n iawn. Mae digon o fwyd yn y tŷ. Mae gen i arian hefyd.'

'Ond mi fyddi di ar dy ben dy hun!'

'Fedra i fynd at Robin. Aros yma efo fi nes daw Mam yn ôl, Becs. Paid â mynd efo'r dwl-lal yna.'

'Dydi Sid ddim cynddrwg â hynny,' ymbiliais arno. 'Nid arno fo mae'r bai fod plant yn dioddef wrth wneud teganau. Nid fo sy'n eu gorfodi nhw i weithio.'

'Tasa fo ddim yn eu prynu nhw fasa 'na neb eisio nhw felly fyddai dynion creulon ddim yn cadw'r plant yn gaethweision.'

'Fasa pobl eraill yn gwneud. Fasa fo'n gwneud dim gwahaniaeth tasa Sid ddim yn prynu'r teganau.'

'Basa. Petai o'n gwrthod prynu teganau o'r ffatrïoedd yna ac yn egluro pam mae o'n gwneud hynny, byddai gobaith i bobl eraill wrthod hefyd.'

'Ond fyddai ganddo fo ddim gwaith wedyn.'

'Byddai, siŵr. Fedrai o brynu teganau gan rai sy'n gofalu fod y gweithwyr yn cael pris teg am eu gwaith. Masnach deg maen nhw'n ei alw fo. Petai pawb yn cefnogi masnach deg fyddai hi ddim yn talu i neb gynhyrchu pethau eraill wedyn. Pobl fel Sid sy'n rhwystro hynny rhag digwydd. Ond dim ots gan Sid the Kid. Dim ots ganddo fo am ddim byd.'

Tawodd. Edrychodd i fyw fy llygaid.

'Aros efo fi, Beca,' crefodd yn daer.

'Fedra i ddim,' meddwn i, gan edrych ar Ffred ac

Aila. 'Ti'n gwybod na fedra i ddim. Fedra i mo'u gadael nhw. Fedar Sid ddim gofalu amdanyn nhw a dreifio'r holl ffordd i Warrington. Fasa Mam eisio i mi ofalu amdanyn nhw. Fasa hi ddim eisio i mi eu gadael nhw.'

'Dyna wnaeth *hi*. Ein gadael ni i gyd.'

Doeddwn i ddim eisio meddwl am hynny.

'Mae f'angen i arnyn nhw,' meddwn i wedyn.

'Mae d'angen di arna i hefyd,' meddai fo.

Dechreuais grio pan ddywedodd o hynny. Fedrwn i ddim peidio. Rhedai'r dagrau distaw i lawr fy wyneb wrth imi gau harnais Aila a chodi trên fach Ffred oddi ar y llawr a'i rhoi yn ei law am ei fod yn hewian wedi iddo'i gollwng.

'Fo ddylai edrych ar eu holau nhw,' mynnodd fy mrawd. 'Nid chdi. Rwyt ti'n gymaint o gaethferch â merched sy'n peintio llygaid doliau. Dydi o ddim yn deg.'

Clep! Caeodd Sid ddrws y tŷ. Tu cefn iddo dangosodd Geth oriad ar linyn o amgylch ei wddw i mi. Gwyddwn wedyn nad oedd gen i obaith newid ei feddwl. Roedd o wedi paratoi ar gyfer hyn. Wedi gofalu am bopeth. Ers pryd, tybed? Ers pan sylweddolon ni nad oedd Mam ddim am ddod yn ôl yn fuan?

'Barod?' galwodd Sid. 'I mewn â chi.'

Gwelodd 'mod i'n crio a bod yna olwg benderfynol ar wyneb Geth, ei geg yn llinell fain, hir, ei aeliau wedi eu crychu'n dynn at ei gilydd. Deallodd yn syth fod rhywbeth yn bod.

'Be . . . ?' meddai'n ansicr.

'Dwi ddim yn dod,' meddai Geth yn bendant.

'Ond . .'

'Diolch, ond dim diolch.'

'Ond . .'

'Nid chdi ydi fy nhad i.'

'Nage. Diolch byth.'

Dyna lle roedden nhw'n edrych yn gas ar ei gilydd, eu lleisiau'n brathu'n filain a finnau erioed wedi meddwl nad oedd gan Sid fawr i'w ddweud wrth Geth chwaith.

'Fedri di ddim fy ngorfodi i,' meddai'n herfeiddiol.

Saib bychan. Syllais o'r naill i'r llall yn nerfus.

'Ddim eisio, washi bach,' atebodd Sid. 'Gwna di be bynnag tisio. Dyna wyt ti wedi'i neud erioed. Gei di fynd i'r diawl cyn belled ag rydw i yn y cwestiwn. Dwyt ti'n ddim byd i'w wneud efo fi. Ond er mwyn dy fam, cymer fy ngherdyn busnes i. Mae'r cyfeiriad e-bost a rhif fy mobeil arno fo. Dyma gyfeiriad tŷ fy mam a'r rhif ffôn.'

Sgriblodd ar gefn y cerdyn a'i roi i Geth. Yn gyndyn, heb ddweud cymaint â diolch, cydiodd Geth ynddo.

'Dy ffôn di'n iawn? Digon o arian arno fo?'

Nodiodd Geth heb edrych ar Sid.

'Paid â gadael i'r batri fynd yn fflat,' meddai gan neidio i mewn i'r car.

'Aros efo fi, Becs,' crefodd Geth, y cerdyn bychan yn edrych fel darn o bapur sgrap diwerth yn ei law. 'Aros!'

Roeddwn i eisio aros efo fo. Ond fedrwn i ddim gadael Ffred ac Aila fach. Fedrwn i ddim. Dechreuais feichio crio.

'Wel, Beca?' gofynnodd Sid gan danio peiriant y car. 'Dy ddewis di ydi o.'

'Dydi o ddim d'eisio di chwaith,' mynnodd fy mrawd. 'Dim ond eisio rhywun i ofalu am ei blant o'i hun mae o.'

'Fedra i ddim, Geth,' meddwn i. 'Dydi Mam ddim yma i ofalu am Ffred ac Aila. Fasa hi ddim eisio i mi eu gadael nhw.'

Chwyddodd sŵn y car yn ddiamynedd. Es i mewn. Diflannodd Geth. Yr olwg olaf ges i arno fo roeddwn yn meddwl fod dagrau yn ei lygaid yntau hefyd. Ond ella mai fy nagrau fy hun oeddwn i'n eu gweld.

11

▶▶ Swatiais o'r golwg o dan y dwfe yn ceisio smalio nad oeddwn i ddim yno. Dyna oeddwn i'n ei wneud bron bob nos. Doeddwn i ddim eisio clywed Ffred yn yr ystafell nesaf yn crio am ei fod o eisio'i ddymi.

'Rebecca! Peidiwch â gadael i Ffred gael yr hen ddymi afiach yna!' oedd siars Mrs Harris y tro cyntaf y gwelodd ni. 'Mae o'n rhy fawr o lawer i gael dymi.'

Roedden ni wedi bod yn ei thŷ hi ers deg diwrnod. Doeddwn i ddim yn cael cysgu efo fo chwaith. Nac efo Aila. Fel roeddwn yn stwffio fy mysedd i'm clustiau clywais lais Angela, chwaer Sid:

'Mami, ydach chi ddim yn meddwl fod yr hogyn bach wedi colli digon?'

'Be *wyt* ti'n feddwl?'

'Mae Ffred wedi colli'i fam. Ydi hynny ddim yn ddigon i hogyn bach dyflwydd heb orfod colli'i ddymi hefyd?'

Colli'i fam. Gwnaeth hynny i mi grio. Dyna fydden nhw'n ei ddweud pan oedd rhywun wedi marw. Ond doedd Mam ddim wedi marw.

'Dydi Mam *ddim* wedi marw. Dydi hi *ddim.* Dydi hi *ddim*,' sibrydais dan fy ngwynt.

Ond i mi, roedd y deg diwrnod fel cant o ddyddiau a phob un o'r rheini'n hir, hir. Weithiau teimlai fel petai Mam wir wedi marw. Rhag imi feddwl hynny o hyd yn fy ngwely, roeddwn wedi stwffio'r llyfr stori roeddwn yn ei hoffi fwyaf un o dan fy ngobennydd er mwyn i'r stori orau ynddo fynd yn syth i mewn i'm pen yn lle beth oedd yn digwydd go iawn. Doedd hynny ddim yn gweithio heno.

Roeddwn i eisio codi o'r gwely a mynd atyn nhw'u dau. Eisio rhoi Aila i swatio ar f'ysgwydd a theimlo'i bysedd bach hi'n chwarae drwy fy ngwallt. Eisio teimlo Ffred yn glòs yn fy nghesail, un bawd yn ei geg a bys y llaw arall yn troelli cudyn o'i wallt golau, cyrliog wrth iddo wrando ar bob gair o'r stori yn y llyfr o'i flaen a syllu ar y sgwennu fel petai o'n darllen.

Ond chawn i ddim.

'Mae'n rhaid iddyn nhw arfer, Rebecca,' meddai eu nain. 'Fyddwch chi ddim yma efo nhw am byth.'

'Ond ble bydda i?' gofynnais.

Atebodd hi ddim. Pan gyrhaeddon ni yno a finnau wedi ei galw'n nain, roedd hi wedi dweud, 'Dydw i ddim yn nain i chi. Dim ond i Ffred ac Aila ydw i'n nain. Mrs Harris ydw i i chi.'

Wyddwn i ddim beth i'w ddweud. Felly wnes i ddim byd ond nodio.

'Well i ni ddeall ein gilydd ar y dechrau,' meddai hi.

Nodiais eto, yn gwybod fod Geth wedi dweud y gwir. Doedd hi ddim eisio i mi fod yno.

'Mae eisio bod yn gywir.'

Ac wedyn, heb falio a oeddwn i'n clywed ai peidio, dyna hi'n dwrdio Sid, 'Be oedd ar dy ben di'n dod â hi yma?'

'Be arall wnaen i efo hi?'

'Nid dy gyfrifoldeb di ydi hi. Dydi hi ddim yn perthyn i ni.'

'Fedrwn i byth deithio'r holl ffordd yma efo dau mor fach heb Beca.'

Doedd ganddi ddim ateb i hynny. Meddai Sid wedyn, 'Cofiwch mai Beca sy wedi bod yn gofalu amdanyn nhw'r rhan fwyaf tra bod eu mam yn symol.'

'Symol, wir. Diog wyt ti'n feddwl.'

'Dydi hynna ddim yn deg, Mami,' meddai Anti Angela.

'Ddim yn codi nes roedd hi'n berfedd dydd. Ddim yn trafferthu i wisgo amdani. Be ydi hynny ond diog?'

'Cofiwch fod rhai merched yn mynd yn ddigalon iawn ar ôl cael babi. Gafodd hi ddau fabi yn agos at ei gilydd. Dwi'n siŵr fod hynny wedi effeithio arni.'

'Hen lol wirion!'

'Doedd o ddim yn lol, Mami,' mynnodd Sid.

'Doedd dim rhaid iddi adael ei phlant.'

'Doedd ganddi ddim help ei bod hi'n sâl,' mynnodd Angela. 'Pam na fasat ti wedi mynd â hi at ddoctor, Sid?'

'Wnes i ddim sylweddoli mai sâl oedd hi.'

'Dynion!' meddai Angela.

Roedd hi'n glên efo fi. 'Gei di 'ngalw i'n Angela os tisio,' meddai. 'Ond faswn i wrth fy modd petaet ti'n deud "Anti Angela" 'run fath â nhw'u dau. Faswn i'n hoffi cael nith arall. Does gen i ddim llawer o berthnasau ifanc.'

Agorodd drws fy llofft.

'Dim ond dod i ddweud wrthat ti fod y ddau wedi cysgu,' sibrydodd Anti Angela. 'A dwi wedi gadael y golau bach yn y gornel fel arfer. Dydi Ffred ddim yn hoffi lle tywyll, nac ydi?'

'Nac ydi,' sibrydais yn gryg, gan sbecian dros dop y dwfe ac edrych arni'n sefyll yn ffrâm y drws a'r golau tu cefn iddi.

'A dwi wedi troi mobeil fferm Aila ymlaen. 'Mae'r miwsig yn help iddi syrthio i gysgu'n gynt wrth wylio'r anifeiliaid yn troi rownd a rownd, yn tydi?'

'Ydi,' meddwn, ychydig bach yn uwch.

'Tria dithau gysgu rŵan.'

Snwffiais. Doedd gen i neb. Dim tad. Dim mam. Dim taid na nain. Brawd? Oedd, roedd gen i frawd . . . yn bell i ffwrdd. Gwyddwn 'mod i yn yr hen le yma gan nad oedd unman arall i mi fynd. Ofn cael fy hel at bobl ddierth am nad oedd neb f'eisio i . . .

'Fasa sws yn help i fynd i gysgu?'

Codais ar f'eistedd a nodio.

'Hen ydi Mami, 'sti,' meddai hi. 'Dwi wedi aros gartre o'r gwaith er mwyn helpu i ofalu am y ddau fach, ond fedra i ddim bod yma drwy'r adeg. Mae hi'n dechrau sylweddoli na fedr hi ddim gofalu amdanyn nhw am byth ac mae'n poeni beth fydd yn digwydd iddyn nhw. Dydi hi ddim yn bwriadu bod yn gas . . .'

Ella wir. Ond hen sguthan oedd hi – yr hen grybiban yn lladd ar Mam bob cyfle gâi hi. Yn prowla yn fy llofft ac yn sgyffowla drwy 'mhethau i yn fy nghefn hefyd. Roeddwn wedi ei dal hi wrthi.

'Os nad oes gen i nain, dwi'n falch fod gen i anti,' meddwn i gan roi sws fawr i Anti Angela pan ddaeth i eistedd ar erchwyn y gwely. Teimlwn hi'n gynnes wrth f'ochr drwy'r dwfe a'i llaw ar f'ysgwydd.

'Paid ti â phoeni am ddim byd,' meddai hi.

Digon hawdd dweud, meddyliais.

'Bydd popeth yn iawn, gei di weld,' meddai hi.

Fyddai o? Sut oedd hynny'n bosib?

12 ▶▶| Fel roeddwn yn mynd i mewn i'r gegin clywais Sid yn protestio, yn swnio fel petai wedi dychryn braidd: 'Nid fy nghyfrifoldeb i ydi'r hogyn. Dydi o ddim yn perthyn yr un dafn o waed i mi.'

Yr hogyn? Pwy arall ond Geth?

Gwyddwn yn syth eu bod nhw'n sôn amdano. Oedais i wrando. Cyn dod i aros i'r hen dŷ annifyr yma fyddwn i ddim wedi breuddwydio gwneud hen beth slei, cas felly. Erbyn hyn roeddwn wedi dysgu fod Geth yn iawn. Dyna'r unig ffordd i gael gwybod beth oedd yn digwydd.

'Faswn i'n meddwl, wir,' meddai Mrs Harris yn chwyrn. 'Mae'n ddigon drwg fod yr hogan yma.'

'Pwy oedd ar y ffôn?' holodd Anti Angela.

'Y Gwasanaethau Cymdeithasol. Gethin wedi rhoi'r rhif iddyn nhw. Wyddai o ddim sut i gael gafael ar ei fam. Dywedais wrthyn nhw am gysylltu â'i fam a rhoddais i'r manylion iddyn nhw.'

Roedd ofn arna i gael fy nal yn llercian tu cefn i'r drws. Cerddais i mewn i'r ystafell. Edrychodd Sid yn anghyfforddus braidd pan welodd fi. Yna cododd ei ysgwyddau.

'Waeth iddi gael gwybod rŵan ddim,' meddai. 'Mae hi'n siŵr o gael clywed rywbryd.'

'Clywed be?' gofynnais yn wyllt.

'Hanes y brawd 'na sy gen ti.'

Gwyddwn wedyn nad oedd o'n ddim byd da a dechreuodd fy nghalon guro'n gyflym iawn.

'Be sy wedi digwydd i Geth?' gofynnais, fy llais yn crynu.

'Be mae o wedi'i wneud yn nes ati, debyg,' sniffiodd Mrs Harris.

'Ie, mae arna i ofn,' meddai Sid. 'Wedi cael ei ddal yn dwyn.'

Swniai braidd yn falch o gael dweud. Fel petai ganddo rywbeth pendant yn erbyn fy mrawd o'r diwedd.

'Dwyn be?' gofynnais.

Edrychodd o ddim i fyw fy llygaid. Dim ond dweud fod yr heddlu wedi ei ddal yn dwyn yn y dref a'i fod mewn cartref maeth yng ngofal y Gwasanaethau Cymdeithasol.

Roeddwn wedi bod yn meddwl a meddwl am Geth yn Tŷ Fry ar ei ben ei hun bach. Yn dod yn ôl yno wedi bod efo Robin yn Glanrafon ac yn chwarae i lawr yn y pentref. Fyddai o byth wedi cyfaddef wrth 'run o'i fêts ei fod wedi aros a ninnau wedi mynd. Yn meddwl amdano yn clywed yr hen dylluanod hynny yn hwtian yn oer drwy dywyllwch cysgodion creulon y coed. Yn clywed yr afon yn berwi'n wyllt dros y cerrig yng ngwaelod y cae a'r gwynt yn ddigon cryf i chwythu'r tŷ drosodd.

Geth yn dwyn? Fyddai o byth, byth bythoedd yn gwneud hynny. Doedd y peth ddim yn gwneud synnwyr. Nid hogyn fel yna oedd Geth.

'Dwyn be?' gofynnais wedyn.

'Dim ots be,' meddai Mrs Harris. 'Dwyn ydi dwyn.'

Doedd Sid ddim yn edrych arna i.

'DWYN BE?' gwaeddais arno.

'Bwyd,' atebodd o'r diwedd.

'Felly . . .' meddwn i'n araf, gan gofio fod digon o fwyd yn y tŷ a bod ganddo arian. 'Felly mae'n rhaid ei fod o ar lwgu.'

Ddywedodd neb ddim byd.

'Os ydi Geth mewn helynt,' ychwanegais, 'bydd Mam yn siŵr o ddod adref.'

'Hwyr glas,' meddai Mrs Harris, 'rhag i bobl y Gwasanaethau Cymdeithasol 'na ein trafferthu ni eto efo'u galwadau ffôn.'

'Mae hi'n siŵr o roi gwybod iddyn nhw ac i ni pryd bydd hi'n dod,' meddai Sid.

Wedyn

'Dacw hi!' gwaeddais o'r *diwedd,* yn llawn cyffro eto ac yn codi fy mraich i chwifio

'Dacw hi!' gwaeddais o'r diwedd, yn llawn cyffro eto ac yn codi fy mraich i chwifio er mwyn tynnu'i sylw. Dyna falch oeddwn i o'i gweld. A'r bagiau yna yn ei llaw! Yn sgleinio'n lliwgar ac yn llawn anrhegion . . . ac un ohonyn nhw, rhai ohonyn nhw, i MI!

Roedd Mam wedi bod mor, mor hir yn dod. Oedd, roedd yr awyren yn hwyr. Ond roedd y sgrin wedi dangos ei bod hi wedi glanio ers hydoedd a fflyd o'r teithwyr wedi brysio drwy'r allanfa. Doedd hi ddim efo nhw. Lle oedd hi wedi bod na fyddai hi wedi brysio ata i?

Roedd hi yng nghanol y criw bychan yma oedd yn dod yn arafach, toc ar ôl y lleill. Sylwais fod rhai ohonyn nhw'n gwisgo lifrai tywyll a meddyliais mai gweithwyr y cwmni awyren oedden nhw. Brathais fy ngwefus isaf. Methais beidio codi bysedd fy llaw chwith at fy ngheg. Cydiodd yr ofn tu mewn imi a

neidiodd hen gwestiwn annifyr i'm pen. Oedd hi . . .
oedd hi'n dal i gofio mai fi oedd ei hogan hi?

Petrusais. Yn araf, heb dynnu fy llygaid oddi ar
Mam a gerddai'n glòs wrth ochr rhywun ar hyd y
llwybr, dois i lawr oddi ar y stôl. Gwelais ei bod hi'n
troi'i phen ac yn craffu ar y dorf oedd yn sefyllian yn y
man aros. Roedd hi'n chwilio amdana i!

Neidiais at y rhaff oedd rhyngom ni a'r teithwyr.
Wrth iddi ddod yn nes ataf sylwais ei bod hi'n edrych
yn ddifrifol iawn, ei haeliau wedi'u crychu a'i cheg
yn llinell syth, heb wên ar ei hwyneb. Edrychodd i
'nghyfeiriad i . . . Curai fy nghalon yn gyflym. *Bwm-
bwm-bwm . . .*

Dyna hi'n fy ngweld i!

'Beca!' galwodd, ei cherddediad yn cyflymu a'i
hwyneb yn goleuo.

'Mam!' gwaeddais, yn ddigon agos erbyn hyn i weld
ei hwyneb yn llonni wrth glywed fy llais. 'MAM!'

'Aros am funud bach!' rhybuddiodd Anti Angela,
ond ysgydwais f'ysgwydd yn rhydd o'i llaw a gwthio
o dan y rhaff i redeg at Mam. Clec! Clywais y bagiau
a gariai yn taro'r llawr wrth iddi eu gollwng er mwyn

cydio amdanaf fel petai hi byth, byth yn mynd i'm gollwng i'n rhydd eto. Gafaelais yn dynn am ei gwddw.

'Paid â mynd i ffwrdd eto, Mam,' sibrydais, a theimlo'i breichiau'n cydio'n dynnach fyth. 'Paid â mynd eto. Dwi wedi bod â hiraeth ofnadwy amdanat ti.'

'A finnau amdanat tithau,' meddai hi'n gryg ac yn floesg. 'Chdi yn fwy na neb. Chdi ydi fy hogan i, 'sti,' sibrydodd yn fy nghlust. 'A' i byth i ffwrdd a d'adael di eto.'

Syllais i gannwyll ei llygaid hi, yn teimlo fy nhu mewn yn dechrau cynhesu, fel petai'r hen lwmpyn rhew oer, annifyr yna fu yno cyhyd, yn toddi'n braf.

'Dowch ffordd hyn. Mae ystafell wedi ei chadw ar eich cyfer.'

Llais un o weithwyr y cwmni awyrennau ydoedd. Ond nid lifrai'r cwmni a wisgai'r merched o bobtu i Mam. Dillad yr heddlu oedd ganddyn nhw. Cydiai un yn dynn yn ei phenelin.

'Gollyngwch hi!' gwaeddais arni. 'Dydi fy mam i ddim yn ddynes ddrwg. Gollyngwch hi!'

'Wedi inni gyrraedd ystafell ddiogel,' oedd yr ateb. Gwyddwn felly eu bod yn ofni y byddai Mam yn dianc. Pwy oedden nhw? Plismyn, ie. Ond pwy oedd y lleill? Gweithwyr y Gwasanaethau Cymdeithasol wedi dod i fynd â fi oddi ar Mam?

Llusgais wrth ei hochr hi, yn gwrthod gollwng fy ngafael ynddi am eiliad rhag ofn imi ei cholli eto wrth iddyn nhw ei harwain hi drwy'r man aros. Os oedden nhw'n cadw gafael arni, doedden nhw ddim am adael iddi ddod efo fi, nac oedden? Roedden nhw am fynd â hi efo nhw. I garchar, mae'n debyg. Ond pam? *Pam?*

Dyna dawel oedd pobl o'n cwmpas. Pawb yn syllu arnon ni fel petaen ni'n sioe.

'Nid dynes ddrwg ydi hi!' sgrechiais arnyn nhw'n ddig, fy llais yn atseinio drwy'r distawrwydd, yn diasbedain yn erbyn y waliau ac yn clecian yn ôl yn gas yn fy nghlustiau.

Wedi i ddrws ystafell fechan gau tu cefn inni ac i un o'r heddlu fynd i sefyll yn ei ymyl, swatiais yn ei chesail, yn cydio ynddi fel cranc wedi inni fynd i eistedd. Beth petawn i'n ei cholli eto? Am byth y tro hwn?

'Nid dynes ddrwg ydi Mam,' meddwn i wedyn. 'Dydi hi ddim wedi gwneud dim byd o'i le. Dim byd o gwbl.'

'Mae arna i ofn ei bod hi,' meddai Anti Angela yn dawel.

Troais arni'n ffyrnig. 'Oeddech chi'n gwybod?' gofynnais yn gas. 'Oeddech chi'n gwybod mai fel hyn y byddai pethau?'

'Wedi . . . wedi amau ar ôl iddyn nhw holi pryd yn union roedd yr awyren yn glanio.'

'Ond *pam*?'

Roeddwn i'n beichio crio erbyn hyn a'r dagrau'n llifo i lawr gruddiau Mam hefyd.

'Roedd yr athrawon yn bryderus oherwydd y diffyg gofal amdanat ti a dy frawd, ac yn gofidio am nad ydych wedi bod yn yr ysgol,' eglurodd un o ferched yr heddlu. 'Felly fe gysyllton nhw â'r Gwasanaethau Cymdeithasol. Ac ar ben hynny, gadawodd eich mam chi ar eich pennau eich hunain.'

Syrthiodd fy ngheg ar agor, yn methu credu'r peth.

'Ond roeddwn i'n ddigon mawr. Roeddwn i … a Geth … yn ddigon mawr.'

'Doedd dy frawd ddim yno. Ti yn unig oedd yn gofalu am ddau blentyn bach iawn.'

'Wrth gwrs fod Geth yno!' gwaeddais. 'Ddim yn y golwg oedd o pan ddaeth yr ymwelydd iechyd.'

'Beca,' meddai Anti Angela. 'Paid â gwastraffu

d'anadl yn dweud celwydd. Gwelodd yr ymwelydd iechyd Gethin efo'i ffrindiau ar ei feic yn y pentref pan oedd hi'n mynd adref.'

'Dim ond wedi picio i lawr i'r siop i nôl Pampers i Aila oedd o,' mynnais. 'Fuo fo ddim yn hir ac roedden ni'n iawn, yn berffaith iawn. Dwi'n medru gofalu am Ffred ac Aila. Wn i sut mae gwneud popeth sydd angen ei wneud iddyn nhw.'

'Roedd yn ormod o gyfrifoldeb i rywun o dy oed di,' mynnodd rhywun arall. 'A'r cyfnod yn rhy hir o lawer.'

'Ond nid bai Mam oedd hynny!'

'Bai pwy, felly?'

'Sid. Sid oedd ar fai ein bod ni ar ein pennau ein hunain mor hir. Sid.'

'Chwarae teg,' meddai Angela yn bigog. 'Ddwedodd dy fam ddim wrth Sid ei bod hi'n gadael Tŷ Fry pan ffoniodd hi. Sut oedd o i wybod ei bod hi'n mynd mor bell?'

Gwylltiais. ''Dach chi byth yn gweld bai ar Sid! 'Dach chi'n cadw arno fo o hyd!'

'A be wyt ti'n neud efo Gethin?' gofynnodd. 'Cofia fod Sid yn frawd i mi.'

'Addawodd o i Mam y byddai o'n ôl o fewn yr awr,' mynnais. 'Glywais i hi ar y ffôn.'

'O, 'nghariad i,' meddai Mam. 'Does gen ti ddim syniad mor falch ydw i o dy glywed di'n deud hynna. Glywsoch chi i gyd? Rydw i wedi deud a deud, ond does neb wedi gwrando arna i.'

'Sid oedd ar fai, nid Mam,' meddwn i wedyn. 'Sid.'

'Mae'n rhy hwyr i weld bai ar neb,' meddai llais arall o rywle. 'Be sy'n bwysig rŵan ydi gofalu na fydd yr un peth yn digwydd eto . . .'

Y llais yna! Roeddwn i'n adnabod y llais yna. Llais pwy oedd o?

Meddai Mam, 'Wedi cyrraedd pen fy nhennyn oeddwn i. Teimlo mor wantan ac wedi blino drwy'r adeg ar ôl geni Aila. Byw yn yr hen le anghysbell yna. Ddim yn gweld yr un enaid byw o naill ben y diwrnod i'r llall am wythnosau. Byth yn cael sgwrs efo neb. Sid i ffwrdd am ddyddiau. Codi'r felan arna i. Roedd yn rhaid imi ddianc neu fynd yn wallgof.'

Edrychodd Anti Angela arna i cystal â dweud, 'Be ddwedais i?'

'Faswn i byth wedi eu gadael nhw ar eu pennau'u

hunain am awr hyd yn oed, petawn i'n rhywbeth tebyg i mi fy hun,' mynnodd Mam.

'Na fasat,' cytunodd y llais. 'Gofalu am bawb arall ac esgeuluso dy hun fyddet ti. Un felly fuost ti erioed. Roeddwn i mor falch pan ddywedaist ti dy fod ti'n dod ata i, ond dyna sioc ges i pan welais i dy gyflwr di. Ond fydd o ddim yn digwydd eto. Ofala i am hynny.'

Syrthiodd fy ngheg ar agor mewn syndod. Dad oedd o! Dad!

Roedd o'n sefyll yno yn dal yr holl fagiau roedd Mam wedi eu gollwng. Dad! Troais ato ond clywais un o'r plismyn yn dweud, 'Mae arna i ofn fod yn rhaid inni ofyn i chi ddod efo ni, 'run fath.'

'Pobl ddrwg sy'n mynd i garchar!' gwaeddais arno, yn dal i gydio yn Mam. 'Dydi Mam ddim yn ddynes ddrwg. Chewch chi ddim mynd â hi. Chewch chi ddim!'

Plygodd yr heddferch wrth f'ochr i siarad efo fi.

'Nid i garchar,' meddai hi. 'I swyddfa'r heddlu. I ateb rhai cwestiynau.

'Ac wedyn?' gofynnodd Mam.

'Dibynnu. O bosib, os bydd achos llys, byddwch yn cael eich cadw yn y ddalfa. *Os* bydd achos. Ar y llaw arall, ella y cewch eich rhyddhau tan hynny. Wedyn, allech chi gael rhybudd neu orfod talu dirwy neu wneud gwasanaeth cymdeithasol, ac ni fyddai raid i chi fynd i garchar o gwbl.'

'Ond beth amdana i?' sibrydais. 'Be sy'n mynd i ddigwydd i mi?'

'Rwyt ti'n mynd efo Dad,' atebodd Mam. 'Efo fo fyddwn ni i gyd yn byw rŵan.'

'Ffred ac Aila hefyd?' gofynnais. Roedd gen i gymaint, *gymaint* o ofn y byddai Mrs Harris eisio'u cadw nhw am byth ac na fydden ni'n cael eu gweld.

'Wrth gwrs,' meddai Mam. 'A'r ddau yn mynd at Sid a'i deulu yn gyson.'

'Bydd hynny'n siwtio Mami yn iawn,' meddai Anti Angela. 'Mae hi'n sylweddoli bellach na fedrith hi byth ofalu amdanyn nhw drwy'r adeg.'

A dyna nhw'n mynd â Mam o'no a doedd yno ddim byd ond twll mawr gwag, gwag ar ôl wedyn. Llithrodd Anti Angela allan efo'r lleill gan ddweud bod yn rhaid iddi frysio'n ôl at ei nai a'i nith. Clywais y sŵn traed i gyd yn mynd yn bellach ac yn bellach i lawr y coridor ac yna'n diflannu i ganol holl ferw'r maes awyr.

Yn yr ystafell fach roedd hi'n ddistaw iawn. Doedd neb ond Dad a fi ar ôl. Dad oedd bron iawn fel dyn dieithr. Teimlwn yn swil ac yn oer, yr ofn yn gafael yn fy ngwddw ac yn lapio hen ddwylo mawr afiach drosof i gyd. Roedd cymaint o bethau nad oeddwn yn eu deall.

'Am faint . . .', gofynnais yn betrus, 'wyt ti'n aros?'

'Am byth.'

'Ro'n i'n meddwl,' meddwn yn araf, 'fod Mam wedi mynd at gariad newydd roedd hi wedi ei gyfarfod mewn stafell sgwrsio i weld a fyddai hi'n hoffi bod efo fo . . . '

'Hen gariad. Ei chariad cyntaf.'

'Chdi!' meddwn i, yn deall o'r diwedd. '*Dyna* pam aeth hi i America!'

'Wrth gwrs.'

'A . . . a syrthio mewn cariad efo'ch gilydd eto?'

'Dros ein pennau a'n clustiau, cofia!'

'Felly . . . ?'

'Y peth cyntaf ydi . . .'

'Mynd i nôl Geth!' meddwn i.

'Beth ddaeth dros ei ben o i beidio mynd efo chi?'

'Sid,' meddwn i.

'*Sid?* Does bosib ei fod o cynddrwg â hynny? Dipyn yn chwit-chwat, meddai dy fam, ond yn ddigon ffeind efo chi'ch dau ac yn siŵr o ofalu am y pedwar ohonoch chi.'

'Mae Geth yn tynnu'n groes iddo fo o hyd, Dad, oherwydd bod plant yn dioddef i wneud y teganau mae o'n eu gwerthu, meddai fo. Sid yn mynnu nad ydyn nhw ddim yn gaethweision, fod caethwasiaeth wedi hen orffen. Geth yn anghytuno'n bendant a'r ddau'n dadlau ac yn ffraeo o hyd. A Mam yn cymryd dim sylw. Dim ots ganddi hi fod Geth yn casáu Sid the Kid cymaint.'

Gwenodd Dad wrth glywed beth roedd Geth yn galw Sid. 'Sâl oedd Mam, 'sti, Beca,' eglurodd yn ddifrifol. 'Yn teimlo'n wan ac yn ddigalon drwy'r adeg. Nid ddim yn malio oedd hi. A doedd dim rhaid i Geth wneud peth mor fell-ti-gedig o *dwp!*'

'Chwarae teg, Dad, doedd o ddim yn beth mor dwp â hynny.'

'Wrth gwrs ei fod o. Gorfod dwyn bwyd a chysgu mewn sgubor. Meddylia am y peryglon i berson ifanc ar ei ben ei hun heb do uwch ei ben nac arian i brynu bwyd. Roedd o'n arfer bod yn hogyn bach mor gall. Beth ddaeth dros ei ben o i wneud rhywbeth cwbl anghyfrifol?'

'Ond roedd ganddo fo le i aros. Tŷ Fry. Ac arian. Roedd ei gadw-mi-gei o'n llawn.'

'Fedrai o ddim mynd i'r tŷ.'

'Ond *pam?*'

'Yn ôl be mae dy fam a fi yn ei ddeall, doedd Sid ddim wedi talu'r morgais – yr arian roedd o wedi ei fenthyg i brynu Tŷ Fry. Felly aeth y beilïaid yno i newid y cloeon.'

'Yyy?' meddwn i.

'Beilïaid. Pobl sy'n hawlio tai am fod y morgais ddim wedi ei dalu. Daethon nhw yno tra oedd o'n chwarae efo'i ffrind ymhen wythnos ar ôl iddo fod yno ar ei ben ei hun. Pan aeth o adref fedrai o ddim mynd i mewn.'

'Wyddai Geth ddim fod hynny'n mynd i ddigwydd pan benderfynodd o aros yno, na wyddai?'

'Doedd o ddim yn beth call o gwbl i'w wneud, beth

bynnag. Dwi'n arswydo wrth feddwl beth allasai fod wedi digwydd iddo. A'r Sid 'na'n gadael llonydd iddo gael ei ffordd ei hun. Roedd dy fam o'i cho'n las.'

'Doedd gan Sid ddim gobaith ei rwystro fo, Dad. A chwarae teg, fe ofalodd fod Geth yn gwybod ein cyfeiriad ni yn Warrington a bod ei ffôn yn gweithio.'

'Wel, be sy'n bwysig rŵan ydi mynd i nôl Geth a gofalu na fydd o *byth* yn gwneud peth mor beryglus eto.'

Saib. Saib reit hir, a Dad a fi'n gwneud dim byd ond edrych ar ein gilydd.

'Mae Geth yn deud . . .' meddwn i'n araf o'r diwedd gan ddewis fy ngeiriau'n ofalus, 'nad oes ganddo fo . . . nad oes ganddo fo . . . ddim byd . . . i'w ddeud wrthach chdi.'

'Deall yn iawn,' meddai Dad yn araf. Edrychai'n boenus iawn a chyfaddefodd, 'Wnes i gamgymeriad mawr yn derbyn gwaith mor bell i ffwrdd. Mi es i am fod y cyflog yn ardderchog ac y byddwn i'n medru anfon digon o arian yn ôl ar eich cyfer chi'ch dau. Freuddwydiais i ddim y byddai Mam yn mynd yn sâl ac yn methu gofalu amdanoch chi. Pan benderfynodd hi ddod ata i roedden ni'n dau yn meddwl y byddai Sid yn gofalu amdanoch chi. Dychrynais i am fy mywyd pan glywais beth oedd wedi digwydd. Mae gen i gywilydd nad oeddwn i ddim yno pan oedd f'angen i arnoch chi'ch dau. Wnes i ddim meddwl . . .'

Yn union fel petai'n sefyll yno, clywais lais fy mrawd: 'Ond *ddylai* o fod wedi meddwl . . .'

Meddwn yn araf gan gnoi ewin fy mawd, 'Mae Geth yn deud . . . ei fod o . . . wedi gorffen . . . efo chdi . . . am byth.'

Saib wedyn. Un hirach fyth.

'Problem.'

'Be?'

'Dwi ddim wedi gorffen efo fo. A fydda i *byth* yn gwneud. Ddim efo'r un ohonoch chi'ch dau.'

Tynnais fy mawd o'm ceg a gofyn yn araf, 'Wyt ti'n ôl am byth? Wir?'

'Wir.'

Saib bychan, fy llygaid yn troi at y bagiau.

'Wyt ti ddim yn meddwl,' meddai Dad, yn gweld i ble roeddwn i'n edrych, 'ei bod hi'n bryd iti weld be sy ynddyn nhw?'

'Ydw!' meddwn i gan gythru iddyn nhw. 'O, ydw!'

'P'run ydi f'un i?' gwaeddais, y cyffro'n berwi tu mewn imi a'r papur sidan yn siffrwd wrth imi chwilota drwy'r bagiau boliog. 'P'run bia fi?'

Gwelais y dillad. O! O! O! Y dillad!

Sgorts coch a'r canol gwyn wedi'i grychu.

Jîns pen-glin a blodau bychan gwyn a melyn wedi'u brodio ar waelod y coesau.

Sgert gwta, batrymog, lliw hufen tu mewn a phinc tu allan, teits i fynd efo hi, top lliw hufen llewys hir efo calonnau, a ffrilen fel tonnau o gwmpas y gwaelod.

Trowsus du, tynn ysgafn, meddal.

Topiau llachar efo patrymau aur ac arian digon o ryfeddod . . . i GYD i mi!

Cau fy llygaid am eiliad. Twrw'n trybowndian a golau'n strobian. Llafnau llachar lliwiau yn llithro a syrthio, yn sgleinio'n danbaid ar fy nillad prydferth wrth imi gicio-pwnio-gwthio-sboncio. Yr hogiau i gyd yn fy llygadu wrth imi droelli o'u cwmpas yn posh i gyd mewn disgo.

'Iawn?' holodd Dad.

'Iawn – *iawn*!' meddwn i gan agor fy llygaid led y pen a bodio'r dillad bendigedig. 'Ond ti'n gwybod be?'

'Be?'

Plygais y dillad gwych yn ofalus i'w rhoi'n ôl yn y bagiau, yn falch ofnadwy 'mod i'n hogan Dad hefyd. Yna dywedais, gan gadw fy mhen i lawr, 'Dydi'r anrheg orau o America ddim mewn bag.'

'Nac ydi?'

Codais fy mhen a rhoi winc arno. 'Nac ydi. Rwyt ti braidd yn fawr i ffitio mewn bag, Dad!'

Winciodd yn ôl. Y winc arbennig yna i mi a neb arall.

NOFEL FYDD
YN RHOI EICH MEDDWL
AR GARLAM!

'Doedd dim eisiau bod
fel'na, nac oedd?'

Ar bwy mae'r bai am y drychineb?

Ar ei cheffyl drud mae Cathryn yn un o sêr disgleiriaf y byd marchogaeth yng Nghymru. Ond pam mae pobl yn methu cyd-dynnu â hi, a hithau mor enwog?

Yn y nofel fer hon ceir trafodaeth wreiddiol a phryfoclyd ar y modd rydym yn trin ein cyfoedion. A yw Cathryn yn rhan o bob un ohonom? Nofel wahanol iawn i'r arfer.

64 tud • £4.99 • clawr meddal • ISBN 1-84512-025-6

ENILLYDD
GWOBR TIR NA N-OG
2005

'Dyna braf fyddai byw
bywyd mwy "normal"
mewn tŷ go-iawn!'

Merch naw oed yw Blodyn Haf sy'n gorfod dod i ben â mam sy'n
rhyfelwraig eco frwd.

Does gan Blodyn Haf ddim dewis ond bod yn rhan o'r protestio
diddiwedd. Teimla y byddai'n braf byw mewn tŷ go-iawn, cael
llyfrau newydd sbon, a pheidio gwisgo dillad ail-law. Trueni na
fyddai bywyd yn debycach i stori mewn llyfr . . .

64 tudalen • £4.99 • clawr caled • ISBN 1-845120-14-0

DILYNIANT I
ECO YW
CARREG ATEB

ENILLYDD
GWOBR TIR NA N-OG
2006

'Dwy yn erbyn un oedd hi.

Doedd gen i ddim gobaith!'

O'r diwedd mae Blodyn Haf wedi byw mewn un lle yn ddigon hir iddi gael ymuno â'r tîm pêl-rwyd a chael hwyl yn llunio prosiect gyda'i ffrindiau newydd. Ond mae 'na ddwy ferch gas yn yr ysgol sydd am ei gwaed.

A chwedl Hugan Fach Goch yn atseinio ym mhen Blodyn Haf fel carreg ateb, a fydd y blaidd yn cael y gorau arni ac yn difetha'i bywyd? Bwlio, cyfeillgarwch rhwng cenedlaethau, ac ecoleg.

88 tudalen • £4.99 • clawr caled • ISBN 1-845120-33-7

DILYNIANT I CARREG ATEB YW BABI GWYRDD

'Ydan ni'n dathlu
rhywbeth?' gofynnodd Dad.
'Cychwyn menter newydd,'
meddai Helygain.
Tincian y gwydrau.
Roedd o'n sŵn mor hapus.

Mae Blodyn Haf yn ymddwyn yn gwbl annioddefol, a'r cartref a fu mor llawen yn gwlwm o dyndra a drwgdeimlad. Er bod busnes Helygain yn llwyddo, a Dad yn hapusach ei fyd, pam mae Blodyn Haf yn gwrthod help gan y rhai sydd agosaf ati?

Yn *Babi Gwyrdd* mae Emily Huws yn agor ein llygaid i gymhlethdod ein teimladau tuag at berthnasau a dieithriaid.

80 tudalen • £4.99 • clawr caled • ISBN: 1-845120-42-6